基因超人 1

Muton's Love

梁晶　著

北京语言大学出版社
BEIJING LANGUAGE AND CULTURE UNIVERSITY PRESS
PHOENIX TREE PUBLISHING INC.

图书在版编目（CIP）数据

基因超人. 1 / 梁晶著. -- 北京 : 北京语言大学出版社, 2016.1

ISBN 978-7-5619-4314-4

Ⅰ. ①基… Ⅱ. ①梁… Ⅲ. ①汉语－对外汉语教学－语言读物 Ⅳ. ①H195.5

中国版本图书馆CIP数据核字（2015）第251831号

基因超人 1

JIYIN CHAOREN 1

中文编辑：袁久强　英文编辑：侯晓娟　责任印制：姜正周　装帧设计：西吉文化

出版发行：北京语言大学出版社

社　　址：北京市海淀区学院路15号　邮政编号：100083

网　　址：www.blcup.com

电子信箱：service@blcup.com

电　　话：编 辑 部　8610-82303647/3592/3395

国内发行　8610-82303650/3591/3648

海外发行　8610-82303365/3080/3668

北语书店　8610-82303653/0309

网购咨询　8610-82303908

印　　刷：北京中科印刷有限公司

经　　销：全国新华书店

版　　次：2016 年 1 月第 1 版　印　　次：2016 年 1 月第 1 次印刷

开　　本：850 毫米 × 1168 毫米 1/32　印　　张：2.5

字　　数：30 千字

05800

PRINTED IN CHINA

Published by Phoenix Tree Publishing Inc.
& Beijing Language and Culture University Press

First Edition

Printed in China

ISBN: 978-1-62575-019-8/978-7-5619-4314-4

Library of Congress Control Number: 2015956943

PHOENIX TREE

Phoenix Tree Publishing Inc.
5660 N. Jersey Ave · Chicago, IL 60659
Phone: 773.250.0707 · Fax: 773.250.0808
Email: marketing@phoenixtree.com
For information about special discounts for bulk purchases, please contact the publisher at the address above.

Find out more about Phoenix Tree Publishing Inc. at
www.phoenixtree.com

故事介绍

2050年，基因中心开始了新一代人类基因试验。他们精心选择了一小群青少年，促进他们的基因进化。基因加强不再是让人更高或更强，而是让人更有忍耐力，更有创造力，甚至更有魅力。

张小天，朱飞和唐果果原来只是普通的青少年。他们并没有意识到他们加强基因后会有麻烦，也没有想到他们会成为世界的唯一希望……

Introduction

It's the year 2050 and the Genetics Research Institute is about to begin a new generation of genetic experiments on humans. For a small group of carefully selected young adults, the Institute's scientists have been able to make genetic enhancements and accelerate the evolution of their personalities. Genetic enhancements can make them persist in their goals, be more creative, or even more charismatic.

Zhang Xiaotian, Zhu Fei, and Tang Guoguo were just ordinary teenagers. They had no idea of the trouble that was about to happen or the fact that their genetic enhancements might be the world's only hope...

主要人物 Main characters

张小天

朱飞

唐果果

李大同　　孙木木　　校长

目录 Contents

他们选谁？

今天是2050年
4月30日。
第一中学
我很
紧张！
我很
紧张！
我也很
紧张！
张小天，
你紧张吗？
别紧张，要等到今天
晚上，才会知道结果。

嗨！
李大同！

生日快乐！
生日快乐！

他们怎么知道今天是我的生日？

生日快乐！
生日快乐！

他们一定会选李大同。
他又帅，成绩又好……
家里又有钱！
还有谁的基因比他的好？

每一年的4月30号
通 知
1.XXX（15岁）
2.XXX（15岁）
3.XXX（15岁）
你被选中做基因
加强！
基因中心

选我！
选我！
选我！

哈！
耶！
我被选中做
基因加强！

基因加强不仅让人变得很强，而且，
三年以后，可以去一个特别的大学。
精英大学

也许他们会选我。
你被选中了！
可是，基因加强违反进化规律。
生日快乐！

生日快乐！
朱飞跟张小天是好朋友，
他很聪明，但是……
大家都看不起他，
除了张小天。
书呆子！
书呆子！

回来了？
嗯！
儿子，
生日快乐！
许个愿吧！

爷爷奶奶要祝你
生日快乐！

张小天，恭喜你被选中加强基因！
我？
什么？！
这是真的吗？

真的。我们发现，你们学校十五岁的学生中，只有你的魅力基因有可能被完美化。
不要浪费你的潜能。
你，不普通！
基因中心见！
小天，妈妈早就知道，你会比我们有出息！

你不高兴?
我的魅力基因有可能被完美化?我怎么不觉得我有一点儿点儿的魅力?
?
他们有没有弄错?他们会不会把我变成怪物?

张小天的父母都很普通！
儿子！你是我们的希望！
我不能让父母失望！

你是世界上最有魅力的人！
我怕！我怕！不要去，
不要去！
这都是真的吗？

他们要对我做什么？

第二天早晨
谁被选中做基因加强了？
我听说朱飞被选中了。
他的创造力基因会被加强。
朱飞？他已经是书呆子了，加强后，就是有创造力的书呆子，那是怪人！
你不是妒忌他吧？
我才不妒忌他呢！

还有谁？
唐果果。忍耐力基因加强。

唐果果？她学习最用功了。忍耐力基因再加强，她就不是人了。

她比我们都用功，成绩比我们都好，再用功，谁能跟她比啊？

还有一个，是谁？
不知道。会不会是李大同？
他说不是他。
那会是谁？
这是真的。他们真的选了我。
他们怎么会选我？不不不，不要怀疑自己！我为什么要怀疑？

不要告诉他们我被选中了，他们会笑我。
他们不会相信。如果失败，如果我没有那么有魅力，他们更会笑我。
魅力基因加强？我会变得很有魅力？
爸妈？他们怎么来了？

我们接你去基因中心，做基因加强。
现在？
我头疼，肚子疼，不舒服……
什么？你现在不可以生病！
体温正常。
你没病！
多喝点儿水，多穿点儿衣服，一会儿就好了。
基因中心

张小天！
张小天！

张小天，好名字。
你的生日是几月几号？
2035年4月30号。
刚刚十五岁。
你真的……
你说我真的什么？
你真的想做基因加强吗？

我不知道。我爸爸、妈妈一定要我做。我不能让他们失望。
他们对自己已经很失望了，我是他们唯一的希望。
你要知道，加强基因以后，你的基因变了，你就会改变，你的生活也会改变。
加强魅力基因，意味着你会有最强的号召力，你会成为领袖。
但是如果你被恶控制了……
你会变得虚荣、狂妄，这会毁了你，也会毁了跟随你的人。
我……没有想过这些……

换上衣服，别紧张。
他们要对我做什么？

会不会有
危险？
10:00
10:10
10:30
11:30
12:00
小天，
小天！
小天，
小天！
小天，
小天！
手术室

没有！
哈哈，我是最有魅力的人了！
我真的是最有魅力的人了吗？

我不一样了吗？

嗨!
嗨!
哈哈!她在对我笑!她在对我笑!
张小天!
朱飞!
哇,张小天,你看上去跟昨天不一样了!
你好像……没有变。
昨天,那个感觉真奇怪,你记得不记得?我开始真怕……
朱飞!
我们在学校里不说这个,好吗?
我不想让他们知道我加强了基因。

为什么？
如果他们知道了，可能会笑我。
你的想法……很奇怪，但是，好吧。
第一节课是戏剧课，表演《梁山伯与祝英台》。
张小天！
张小天，你来演梁山伯。
男主角应该是一个有魅力的人。
我做错了什么？
你很合适！

什么?!
他?
张小天更合适!
我同意!
我们变成
蝴蝶了!
我们自由了!

他们管不了我们了！
没有人可以控制我们，世界是我们的！
你永远爱我吗？
我永远爱你！

啊，啊，啊！
神经病！
有他就没有我，有我就没有他！
要不要吃一个蛋挞？
这是我烤的蛋糕，尝尝吧。
给你做的巧克力饼干，吃一块？

帅呆了！
你看张小天，
衣服很普通，
但就是酷！
第二天
我恨他！

张小天？
翘课！
他好酷！
一年一度的学年舞会就要来了。
你请谁去学年舞会？
你能请谁？那些女生都想当张小天的舞伴。

张小天怎么突然就变酷了？
他是不是加强基因了？
他？不可能。如果他真是加强基因了，那他的酷就是人造酷、假酷。哈哈哈……
我不能让他们发现我加强基因了！

张小天，我们一起去舞会吧？
你请我！
请我！
啊！讨厌！
她骂我？她跟别人不一样。
当魅力男孩很累啊！
她理解我！

应不应该
发展人类
基因工程？
支持的同学，请来这边；
不支持的同学，请到那边。
张小天、唐果果，
快点儿！
我们……
他们……

我们俩是一样的！
你跟我一起去舞会吧？
我怎么现在说？
他怎么现在说？
!?
张小天请唐果果去舞会？
我有没有听错？
唐果果？
对不起，我不想去。

她会去舞会吗？

我是最有魅力的人？魅力在哪里？我要请的女孩拒绝我？！为什么？
我要去上最好的大学！我只想学习！
舞会？男朋友？不不不，不行！不能浪费时间！
怎么了？唐果果拒绝你了？

我们一起想办法，一定让唐果果跟你一起去舞会！
真的？
别忘了，我是创造力基因加强人！
“创造力基因加强人”+“魅力基因加强人”=天下无敌！
第二天
唐果果每天放学后会去上钢琴课。
你这个时候去她家，劝她妈妈让唐果果跟你去舞会。
她妈妈？你开玩笑！
我去找她妈妈，要是别人知道了，会笑话我的。
你想得够多的。别人爱怎么想就怎么想。
你照我说的去做，包你成功。

希望没人。
希望没人……
你是张小天吧？
你不是果果的同学吗？
您认识我？

果果现在不在家，你要不要进来等她？
不用了，我是来找您的。
我想找您帮忙。
找我帮忙？帮什么忙？
你怎么在这儿？
他来请你一起去舞会。

我已经跟你说我不去了呀！
为什么不去？
去舞会干吗？浪费时间。
舞会，就是去比比谁的衣服好看，谁的舞伴更帅、更漂亮，无聊！
你看，这是我高中毕业舞会的晚礼服。
你穿一定很漂亮。
学年舞会只有一次，那天你只有十六岁，你穿着最漂亮的衣服跳舞，无忧无虑，以后你想要，都没有这个机会了。

你想去，
你替我去好了。
这个果果，怎么不理人家，那么好的男孩……
我去做功课了。你们俩没事……就慢慢聊吧

做了那个手术后，她就不听话了。
要知道这样，真不应该让她去加强什么基因。
没成功？没关系！我还有一个办法。你照我说的去做，包你成功。
上次你就这么说……
你听我的，这次一定包你成功。

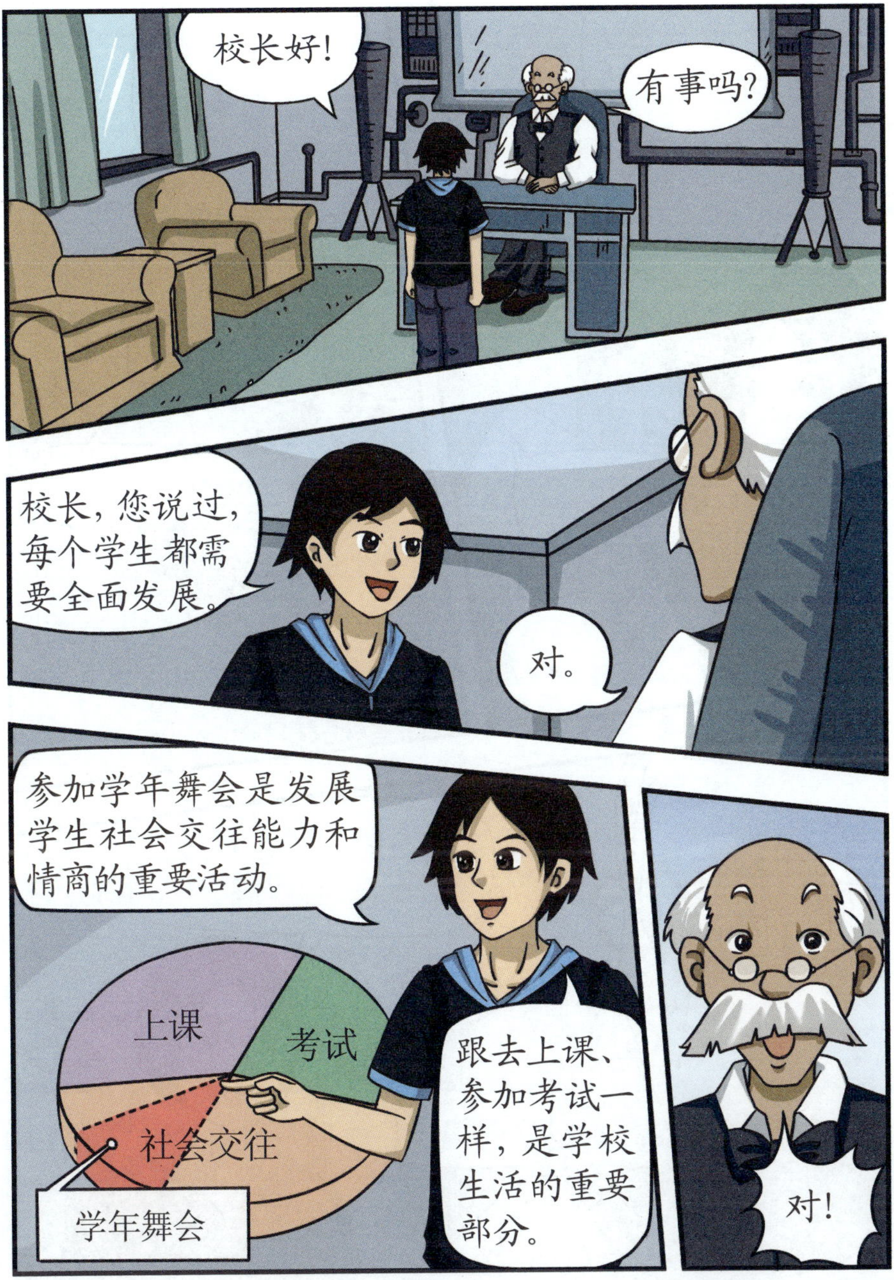
校长好!
有事吗?
校长,您说过,每个学生都需要全面发展。
对。
参加学年舞会是发展学生社会交往能力和情商的重要活动。
上课
考试
社会交往
学年舞会
跟去上课、参加考试一样,是学校生活的重要部分。
对!

一个学生不来上课，可以吗？
不可以。
一个学生不参加期末考试，可以吗？
不可以！
一个学生不参加学年舞会，可以吗？
不可以！

一个学生不来
上课，可以吗？
不可以！
一个学生不参加
期末考试，可以吗？
不可以！
一个学生
不参加学
年舞会，
可以吗？
不可以！
每个学生必须参
加学年舞会，这
是你们一年中最
重要的一次集体
活动。
如果不去，
就算旷课！

现在，我需要参加舞会。
和谁一起去舞会呢？
和张小天？
不行，我不能跟他一起去，
他会让我心情不平静，我就不能认真学习了。

我要和最不让我动心的男孩一起去参加舞会。这样，就不会影响我的心情了。
对了！朱飞！

第一中学
朱飞，你跟我一起去舞会，好吗？
不行！
不行！
不行！
为什么不行？
我已经答应别人了。

谁？
白英。
真的？
今天早上白英告诉我，她要跟王中一起去舞会。

你是不是
觉得我不
够漂亮？
什么？
不不不，你很漂
亮，真的很漂亮。
那……

从来没有女生
这么看着我。
你觉得我
不够温柔？
嗯，我……
不，你……
我是说，
你……
很温柔。

那么，你还没有请人一起去舞会，
你觉得我很漂亮、很温柔。
校长也说了，每个人都得去舞会。
所以，我们俩应该一起去舞会。就这么定了！
下个星期六晚上五点，你来接我。再见！

唐果果非要我
跟她一起去舞会。
什么？
我说不，但是
她不听。
后来，我想说不，
但是她走了。
我不信！
你是最有
创造力的人。
你想不出一个
办法让她听你的？
那个时候，我不知道
怎么了，我说不出话
来……

我一直以为你是我的好朋友，一直在帮我。
其实你都是为了你自己能跟唐果果一起去舞会。
我们不再是朋友了！
张小天，你是我的朋友！不管你怎么误会我，我还会帮你的！

我喜欢的女孩不喜欢我，最好的朋友背叛我。
还有什么比这更糟糕的？我怎么这么倒霉！
张小天和朱飞绝交了！
因为唐果果！
张小天不会跟唐果果一起去舞会了！
真的？太好了！

对不起，我不能跟你一起去舞会了。
对不起，我不能跟你一起去舞会了。
对不起，我不能跟你一起去舞会了。
对不起，我……
对不起，我……
对不起，我不能跟你一起去舞会了。
张小天，我们一起去舞会吧？
她跟张小天说了什么？
张小天会跟她一起跳舞吗？

是我先问张小天的，
你怎么也可以问他？
你怎么打人！？
因为我不喜欢你！

我们崇拜张小天！
我们恨他，为什么女孩子都喜欢他？
为了张小天，我打你！
你们别打了！

为什么？
为什么？
这都是为
什么？
我为什么去做
基因加强手术？
如果我没有
做那个手术，
这一切都不
会发生。
怎么回事？
问他。

张小天，
你做什么了？

我不知道。

你不知道？
真的不知道？
张小天真的
没做什么。
因为女生们都想
跟张小天去舞会，
所以有人恨他。

什么？就
为了去跳
个舞？
你们太没
出息了！
一个人一个舞伴，
你们今天就定下来。
如果今天放学
以前定不下来，
舞会取消！
啊？！
别别别！
学年舞会是我们一年
中最开心的一天。

快点说！
张小天，你到底请谁一起去舞会？
我要唐果果！
别这么看着我！

不就是
跳个舞吗?
好，我跟你
一起去舞会。
但是大家都
不知道，在
唐果果做了
这个决定的
时候，
她心里，
正酝酿着
另外一个
计划……

未完待续……